Esslinger Verlag J. F. Schreiber
Postfach 10 03 25, 73703 Esslingen
www.esslinger-verlag.de

ISBN 978-3-480-40089-8

Die Häschenschule

Der Häschen-Schulausflug

Ein Tag in der Häschenschule

esslinger
ALFRED HAHN'S VERLAG

„Die Häschenschule" feiert Jubiläum - zum 90. Geburtstag

Als Albert Sixtus im Alter von 26 Jahren schwer verwundet aus dem Ersten Weltkrieg zu seiner Familie zurückkehrte, wollte er ein neues Leben beginnen, endlich als Lehrer arbeiten und viel Zeit mit Frau und Kind verbringen. Außerdem wollte er sich wieder auf sein Talent des Dichtens besinnen, das er nach eigenen Aussagen von beiden Eltern geerbt habe. Humorvoll bekennt er später: *„Ich darf also für meine lasterhafte Veranlagung, schönes weißes Papier durch darauf geschriebene Reime unbrauchbar zu machen, mildernde Umstände in Anspruch nehmen."*

Der Kinderbuchautor Albert Sixtus im Jahre 1927

Damals ahnte Sixtus weder, dass er durch seine Kriegsverletzungen keinen schmerzfreien Tag mehr erleben würde, noch welch großes persönliches Leid ihm der nächste Weltkrieg bringen sollte. Dennoch stand er zu diesem Zeitpunkt kurz vor seiner großen Karriere als Kinderbuchautor. In den nächsten 30 Jahren sollten über 50 Bilderbücher, Märchenbücher und Jugendromane von ihm veröffentlicht werden.

Als Sixtus 1922 in Kirchberg (Sachsen) in der Nacht zum 30. April seine ersten Verse für ein Hasenbilderbuch niederschrieb, dachte er nicht im Traum daran, dass diese zu einem der erfolgreichsten Bilderbücher aller Zeiten werden würden: *„Die Häschenschule"*

Albert Friedrich Sixtus wurde am 12. Mai 1892 im sächsischen Hainichen geboren. Schon im Schulkindalter entwickelte Sixtus Talent zum Schreiben. Als einer seiner Lehrer ein paar Skizzen mit gedichteten Zeilen von ihm entdeckte, gab er sie ihm lächelnd mit den Worten zurück: *„Der Sixtus, ei, der ist an Künsten reich – ein Maler und ein Dichtersmann zugleich!"*

Von 1912 bis 1915 arbeitete Sixtus als Vikar und Hilfslehrer. Während dieser Zeit lernte er auch seine spätere Frau Milda geb. Preußger kennen. 1915 trat er eine Stelle als Lehrer an der Städtischen Realschule in Kirchberg an. Im Frühjahr des gleichen Jahres heiratete er, und am 26. Dezember wurde sein Sohn Wolfgang geboren.
Trotz seiner Ausmusterung aufgrund einer starken Kurzsichtigkeit verpflichtete man Sixtus am 12. Dezember 1915 zum Militärdienst und schickte ihn ein Jahr später an die Front nach Verdun in Frankreich.

Die Zeit nach seiner Rückkehr beschreibt Albert Sixtus in seinen Memoiren:
„Drei Jahre war mein Junge geworden, als ich heimkehrte. Mit ihm erlebte ich meine eigene Kinderzeit aufs Neue. Wolfgang wollte, wie alle Kinder, immer wieder Märchen hören, am liebsten solche von Heinzelmännchen oder Hasen. Von Hasen gibt es nicht sehr viele Märchen. Woher nimmt man neue, wenn die selbst erfundenen nicht mehr ausreichen? Da besuchte uns im Jahre 1921 die Schwester meiner Frau (...). Für unseren Märchenprinzen Wolfgang begann, als sie bei uns weilte, eine goldene Zeit. Schon in der Morgendämmerung holte er das Tantchen aus dem Gastzimmer, und dann begannen die wunderbarsten, aufregendsten Hasenspiele. Meine Frau war die Hasenmutter, Wolfgang das Hasenkind, Martha der Hasenlehrer und ich der böse, böse Rotfuchs, der fürchterlich bellen und fauchen konnte. Herrliche Hasengeschichten sind damals erdacht und mimisch dargestellt worden. Ich sehe es noch wie heute, wenn unser Junge die Zeigefinger an die kleinen Ohren hielt und wie ein Hase damit wackelte, sobald der Rotfuchs ein verdächtiges Knurren hören ließ.
Dieses Hasentheater muss wohl stark in mir nachgewirkt haben, denn ein Jahr später – am 30. April 1922, einem

Sonntag – schrieb ich in später Nachtstunde meine ersten Kinderverse nieder und gab ihnen den Titel ‚Die Häschenschule'. Die Verse purzelten mir nur so aus der Feder. Alles rundete sich wie von selbst zu einem Ganzen. Ich hatte, als das Gedicht um Mitternacht fertig vor mir lag, das Gefühl, dass man als Verfasser leider nur selten hat: Diesmal ist dir wirklich etwas gelungen! (…)
Es entstanden damals Verse für 10 verschiedene Szenen aus dem Schulalltag. Dieses Exemplar des ersten Entwurfs in 10 Strophen schickte ich am 1. Mai 1922 nach Leipzig an den Alfred Hahn's Verlag.
Der Verlagsinhaber Dr. Sell wünschte fünf Strophen mehr und sandte das Manuskript mit folgender Bemerkung an mich zurück: ‚Es werden gebraucht 15 Bilder und ein Innentitel. Da nur zu 10 Bildern Verse vorhanden, müssen noch fünf neue hinzukommen: z.B. vielleicht Malstunde mit Eieranmalen, Arbeit im Schulgarten, Saubermachen der Schule, Strafstunde, Heimweg mit einigen Zwischenfällen, etc.'
Ich schob folgende Strophen ein: ‚Malstunde', ‚Strafstunde', ‚Im Schulgarten', ‚Angetreten!' und ‚Auf dem Heimweg', die ich am 29.5.22 verfasste und am 15. Juni 1922 zum 3. Male umarbeitete."

Eine Seite aus dem Urtext, die Sixtus 1922 an den A. Hahn's Verlag schickte

Der Zeichner Fritz Koch-Gotha

Noch im Sommer 1922 fragte der Alfred Hahn's Verlag bei dem damals schon sehr populären Zeichner Fritz Koch-Gotha an, ob er die Illustrationen zu einem Hasenbilderbuch übernehmen könne.
Fritz Koch-Gotha, der am 5. Januar 1877 geboren wurde, besuchte ab 1884 Grundschule und Gymnasium. 1895 schloss er die kauf-

männische Berufsschule ab und studierte von 1895–99 an den Kunstakademien in Leipzig und Karlsruhe. Danach war er freiberuflich in Leipzig für Postkartenverlage und lithografische Reproduktionen tätig. 1902 zog er nach Berlin und veröffentlichte bis 1904 humoristische Pressezeichnungen. Später arbeitete er für die „Berliner Illustrierte Zeitung“ und den Ullstein Verlag. Er avancierte zum bekanntesten und beliebtesten Zeichner Berlins und sagte selbst von sich: *„Es gibt viele Köche, aber eben nur einen Koch-Gotha.“* Auf der Suche nach neuen Herausforderungen löste er 1922 seinen festen Vertrag mit dem Ullstein Verlag auf. In diese Zeit fiel seine Umbenennung in Koch-Gotha, weil es in Berlin so viele Maler und Zeichner namens Koch gab. Die Anfrage des Alfred Hahn's Verlages sah er damals sicher als willkommene Herausforderung. 1923 zeichnete er zu den vorliegenden Versen von Albert Sixtus geniale und für ein Kinderbuch dieser Zeit ungewöhnliche Bilder. Mit seinem karikaturistischen Talent brachte er eigene, den Text ergänzende Ideen ein, deren viele kleine Details eher dem Erwachsenen auffielen, der sich noch gut an seine Schulzeit erinnern konnte.

Das Bilderbuch stellt ein Paradebeispiel für den sogenannten Anthropomorphismus dar, die Übertragung von menschlichen Eigenschaften und Handlungen auf Dinge oder Tiere. Obwohl bereits der griechische Dichter Äsop 600 v. Chr. in seinen Fabeln Tiere sprechen ließ und sich seitdem unzählige Autoren dieses literarischen Mittels bedient hatten, kam solch ein erfolgreiches Buch wie *„Die Häschenschule“* den Kritikern als neuerliches Futter gerade recht. Die Kritik hielt sich bis heute durch alle Jahrzehnte. Banal sei das Buch und fragwürdig, ein Missbrauch der Natur, eine Beleidigung für Mensch und Tier gleichermaßen. Außerdem kreidete man Koch-Gotha die Rohrstockszene an und bezeichnete Maler wie Dichter als Verherrlicher des Prügelpädagogentums. In den letzten Jahrzehnten richtete sich die Kritik allerdings

vermehrt gegen das nostalgische Element des Buches und stempelte es als unzeitgemäß, angestaubt und altmodisch ab.
Doch ständig steigende Verkaufszahlen beweisen das Gegenteil und verdeutlichen eine andere Sicht auf *„Die Häschenschule“*, nämlich die der Liebhaber alter Bilderbücher. Köstlich in Reim und Bild sei sie, mit gediegen karikierenden Zeichnungen und adäquat gereimten Versen, lustig, anständig und lehrhaft, harmonisch und in bester Busch-Tradition.
So liebten und lieben noch heute sowohl Kinder als auch Erwachsene *„Die Häschenschule“*. Die Verse sind einfach und mit spielerischem Humor durchsetzt. Sie entsprechen dem kindlichen Gemüt und Verstand und sind für das Kind sehr einprägsam.

Erstausgabe in Schwarz

Spätere Auflage aus den 30er Jahren

Die erste wie auch die folgenden Auflagen erschienen mit schwarzem Titel. Erst die 6. – 10. Auflage war hellblau und ist es bis heute geblieben. Einige Auflagen erhielten einen Schutzumschlag. Bis Mitte der 30er Jahre wurde der Text in Fraktur, ab der 26. Auflage verstärkt in Antiqua und ab der 51. Auflage hin und wieder in Sütterlin gedruckt.

Die Originalzeichnungen und Druckplatten wurden während des Zweiten Weltkrieges 1943 vernichtet. Die Auflage bis Kriegsende kletterte auf etwa 388.000. Fritz Koch-Gotha zeichnete daraufhin neue Bilder, die nach Kriegsende verwendet wurden. An den um 1947 neu entstandenen Entwürfen wirkte auch der Leipziger Grafiker Kurt Wasser durch Anfertigung der Konturpausen

Originalnachzeichnung aus dem Jahr 1945

Englische Ausgabe

Japanische Ausgabe

Mundartausgabe

nach vorhandenen Drucken mit. Dabei verzichtete man auf den Stock des Lehrers. Nach 1945 bis 1951 wurde das Buch noch in Ost und West verlegt, nach dem endgültigen Weggang des Alfred Hahn's Verlages aus Leipzig 1953 nur noch in der BRD.

Sixtus und Koch-Gotha sind sich nie begegnet. Wie ein Brief von Sixtus an Koch-Gotha belegt, hätte er gerne ein weiteres Buch mit ihm zusammen herausgegeben. Dieser Wunsch ging für den Autor jedoch nie in Erfüllung. Allerdings gelang dies aus bis heute nicht zu klärenden Gründen Sixtus' Bruder Walter Andreas, der sich nach dem Erfolg der Häschenschule ebenfalls als Dichter betätigte und in Sixtus' Fahrwasser zwei Bilderbücher mit Koch-Gotha-Zeichnungen veröffentlichte. Davon erfuhr Albert Sixtus erst in den 50er Jahren nach dem Tod des Bruders. Aber das war nicht die einzige Enttäuschung, an der Sixtus schwer zu tragen hatte. Nur ein einziges seiner Bücher erlebte in der DDR eine Neuauflage, und für neue Bilderbuchideen fand er keinen Verleger.
Ein glücklicher Ausgang wie in der Häschenschule-Geschichte mit einer vereinten Familie am Tisch war Sixtus jedenfalls nicht vergönnt. Nach dem Krieg litt er zeitlebens unter Schmerzen und hoffte viele Jahre vergeblich auf die Heimkehr seines einzigen Sohnes aus dem russischen Feldzug. So starb er 1960 im Alter von 68 Jahren als gebrochener Mann.

Sixtus hatte sich nie als Künstler betrachtet, sondern eher als ein Kinder liebender Mensch, erziehend und achtend, sowohl im Alltag als auch in seiner Berufung als Dichter und Schriftsteller. Der Autor Georg W. Pijet zählte Albert Sixtus zu den begabtesten und erfolgreichsten Jugendschriftstellern der Weimarer Zeit. Er attestierte ihm ein Gefühl für echte Kindertümlichkeit, gepaart mit dem tiefen Anliegen für alles Gute und Schöne im Menschenleben. Gorkis Wort, dass man für Kinder besser und wahrhaftiger schreiben müsse, sei ihm stets ein Leitspruch gewesen.

Erst nach der Wiedervereinigung in Deutschland erlebte das Bilderbuch „Die Häschenschule“ einen neuen Höhenflug. Die Auflage stieg von Jahr zu Jahr. 1998 erschien das Buch erstmals in italienischer Sprache *„La scuola dei leprotti“* und 2005 auf lateinisch *„Lepusculorum Schola“*. Dem aus Deutschland stammenden Übersetzer Roland Freischlad ist es zu verdanken, dass das Buch 2009 in einer weitestgehend originalgetreuen Übersetzung mit dem Titel *„The Rabbit School“* auch ins Englische übertragen wurde. Mittlerweile ist eine russische, japanische und eine weitere englische Ausgabe erschienen. Außerdem werden derzeit zwölf Mundartübersetzungen angeboten. Auch auf CD und DVD werden Hasenhans und Hasengretchen für ihre kleinen und großen Fans hör- und sichtbar.
2014 feiert *„Die Häschenschule“* ihren 90. Geburtstag. Sie hat heute einen festen Platz unter den Bilderbuch-Klassikern und wird hoffentlich auch in Zukunft viele Kinderherzen höher schlagen lassen, bei Erwachsenen Erinnerungen an ungetrübte Kindheitstage wachrufen und das Anliegen von Sixtus und Koch-Gotha über Generationen weitertragen.

Ulrich und Beatrix Knebel,
Albert-Sixtus-Archiv, Kottmar

Den noch erhaltenen schriftstellerischen und privaten Nachlass bewahrt das Albert-Sixtus-Archiv: www.albert-sixtus.de

Die Häschenschule
Ein lustiges Bilderbuch
von
Fritz Koch-Gotha
und
Albert Sixtus
F. Koch-Gotha

„Kinder", spricht die Mutter Hase,
„putzt euch noch einmal die Nase
mit dem Kohlblatt-Taschentuch!
Nehmt nun Tafel, Stift und Buch!
Tunkt auch eure Schwämmchen ein!
Sind denn eure Pfötchen rein?"
„Ja!" – „Nun marsch, zur Schule gehn!"
„Mütterchen, auf Wiedersehn!"

F. Koch-Gotha - 23

Hasenhans und Hasengretchen
gehen lustig Pfot' in Pfötchen
um die sechste Morgenstund'
durch den bunten Wiesengrund.
Viele andre Hasenjungen
kommen schnell herbeigesprungen.
Auf dem Rücken sitzt das Ränzchen,
hinten wippt das Hasenschwänzchen.

Hops, noch über diese Quelle!
Hei, sie sind an Ort und Stelle!
Wo die hohen Tannen stehn,
kann man eine Wiese sehn.
Kleine Bänke stehn in Reihen,
hier zu zweien, da zu dreien.
Hopphopphopp, noch einen Satz,
und sie sind auf ihrem Platz.

Hausmann mit dem bunten Rocke
läutet hell die Morgenglocke,
und beim letzten Glockenton
kommt der alte Lehrer schon:
Runde Brille, grauer Bart,
Ohren lang nach Hasenart.
Artig faltet man die Hände,
bis das Frühgebet zu Ende.

Nun beginnt die erste Stunde,
Häschen haben Pflanzenkunde.
Eh' sie eine Antwort geben,
müssen sie die Pfötchen heben.
Und der Lehrer fragt geschwind,
welche Kräuter essbar sind.
Hasenhans, der weiß das wohl:
„Am allerbesten schmeckt der Kohl!"

In der nächsten Stunde dann
kommt die Tiergeschichte dran.
Von dem alten Fuchs, dem bösen,
wird erzählt und vorgelesen,
wie er leise, husch, husch, husch,
schleicht durch Wiese, Feld und Busch.
Und die kleine Gretel denkt:
„Wenn er mich nur nicht mal fängt!“

Der Fuchs
Der Rotfuchs
Der Rotfuchs wohnt in
einer Höhle im tiefen Wald
Er ist ein großer Räuber
Er hat scharfe, spitze
Zähne. Wehe euch,
wenn er euch packt!
Er ißt gern Hühner
und Gänsebraten oder
am liebsten sieht er
doch ein Häschen auf

Seht, wie ihre Augen strahlen,
wenn sie lernen Eier malen!
Jedes Häslein nimmt gewandt
einen Pinsel in die Hand,
färbt die Eier, weiß und rund,
mit den schönsten Farben bunt.
Wer's nicht kann, der darf auf Erden
nie ein Osterhase werden.

Wenn die Pause nun beginnt,
geht's zur Wiese wie der Wind.
Lustig sind die Hasenjungen,
toll wird da herumgesprungen.
Doch die Mädchen knabbern stumm
an dem Frühstückskraut herum,
und sie wandern, tipp-tipp-tapp,
mit der Freundin auf und ab.

Hasenmax, der Bösewicht,
konnte heut sein Verschen nicht,
hat gepfiffen und geschwätzt,
Hasenlieschens Rock zerfetzt,
eine neue Bank zerkracht
und dabei noch laut gelacht.
In die Ecke muss er nun.
Ei, da kann er Buße tun!

Klassenerste, Hasenmine,
holt des Lehrers Violine,
der den Bogen rasch und leicht
mit dem gelben Harz bestreicht.
Ping-pang-pung! Die Geige stimmt,
hoch er sie zum Halse nimmt.
Durch die Sommerlüfte zieht
manch ein schönes Hasenlied.

Mit den grünen Wasserkännchen
laufen hier die Hasenmännchen,
weil das Kraut die Blätter hängt,
wird's mit kühlem Nass besprengt.
Mädchen hocken vor den Beeten,
um das Unkraut auszujäten.
Und der Lehrer, der gibt acht,
dass es jeder richtig macht.

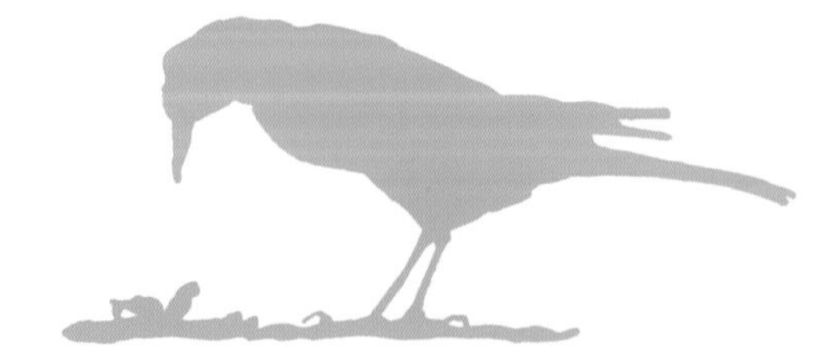

F Koch-Gotha

In der allerletzten Stunde
turnen sie im Waldesgrunde.
Und sie lernen wie beim Jagen
man durch flinkes Hakenschlagen
kann dem Hund 'ne Nase drehn
und dem sichern Tod entgehn,
wenn im Winter durch den Wald
laut des Jägers Büchse knallt.

F. Koch-Gotha - 23

Endlich spricht der Lehrersmann:
„Liebe Häschen, tretet an!
Lasst nichts in der Schule liegen!
Auf dem Heimweg – stillgeschwiegen!
Nicht vom Wege seitwärts springen!
Nicht in dunkle Büsche dringen!
Hat der Rotfuchs euch am Kragen,
hilft kein Betteln, hilft kein Klagen.“

Horch, wer wimmert dort so sehr:
„Liebe Häschen, kommt mal her!
Ach, ich bin so schwach und matt!
Bringt mir doch ein frisches Blatt!“
Huhuhu! – Es ist der Fuchs!
Augen leuchten wie beim Luchs.
Hopsa – hopsa, wie der Wind
rennt ein jedes Hasenkind!

So – nun ist die Schule aus,
und die Häschen sind zu Haus,
setzen hungrig sich zu Tisch,
greifen nach dem Löffel frisch:
Kohlgemüse, Kressenblatt,
ei, da essen sie sich satt!
Wär ich nicht ein Kindelein,
möcht' ich gleich ein Häschen sein!

F. Koch-Gotha

Der Häschen-Schulausflug

Ein lustiges Kinderbuch

mit Versen von Albert Sixtus

und Bildern von

Richard Heinrich

★

Fröhlich spricht der Lehrersmann:
„Morgen gehn die Ferien an,
und damit noch nicht genug:
Sonntag ist der Schulausflug!
Dass mir keins die Zeit vergisst
und die Brötchen vorher isst!
Nachher ist das Hungern schwerer!“

– –

„Wiedersehn, Herr Oberlehrer!“

2. Schuljahr
Fleiß 3 Betragen 2
Lesen 4
Schreiben 3
Rechnen 4
Gesang 3
Naturgesch 3
Turnen 2
Malen 3

Das Zensurbuch in der Hand,
wird geschwind nach Haus gerannt.
Hasengretel lacht vergnüglich,
die Zensuren sind vorzüglich:

Eins, Eins-Be, Zwei-A und Zwei!
Keine Drei und Vier dabei ...
Doch der Hansel grämt sich sehr
und schleicht traurig hinterher.

Vater nimmt den Bengel vor,
zupft ihn an dem langen Ohr:
„Schäm dich, schäm dich, fauler Wicht,
die Zensur gefällt mir nicht!
Ei – das will mir gar nicht passen!
Soll ich dich zu Hause lassen?“
Hansel bettelt: „Bitte, nein,
nächstes Mal soll’s besser sein!“

Hansel
Aus Wald und Feld
Der Hasenbote

Hasengretel plagt sich sehr,
schiebt die Plätte hin und her.
Frischgebügelt, glatt und fein
muss das Reisekleidchen sein.

Hasenmutter schmiert indessen
Kohlkopfbrote, schön zum Essen,
und der Hansel, Gott sei Dank,
putzt die Schuhe blitzeblank!

Alles ist zurecht gemacht
abends um die Glocke acht.
Auf dem Stuhle vor dem Bett
liegt der Anzug, glatt und nett.

In dem Rucksack hat ein jeder
bunte Eier, Butterbröter,
grüne Kräuter, fein und lecker,
und der Vater stellt den Wecker.

Klinglingling ... Der Vater schreit:
„Auf! – Es ist die höchste Zeit,
denn der Wecker – das ist toll –
weckte später, als er soll!“
Hei – wie nun die Häslein hüpfen
und in Strumpf und Schuhe schlüpfen,
und dann fort in wilder Hatz
zu dem Hasen-Sammelplatz!

Auf der Wiese bei dem Walde
warten Junge, warten Alte,
und der Hasenlehrer spricht:
„O – mir scheint, sie kommen nicht!"

Endlich springen mit Geschrei
schnell die letzten vier herbei.
Der Herr Lehrer zieht die Uhr:
„Ei, ei, ei, – wo bleibt ihr nur?"

Trommelschlag und Pfeifenklang –
lustig geht's den Wald entlang,
alle Häslein hübsch zu zwei'n
und die Eltern hinterdrein.
Der Herr Lehrer führt die Kinder,
läuft mal vor und läuft mal hinter,
dass sich keins beiseite schleicht.
Ja – ein Lehrer hat's nicht leicht!

Endlich sind sie angekommen,
und die Höhe ist erklommen,
alle Häslein sehr erhitzt,
auch der gute Lehrer schwitzt.
Und er spricht: „Beguckt euch nur
diese herrliche Natur!“
Und die Häslein stehn und schauen
auf die Wälder, auf die Auen.

Bei dem Dachswirt tief im Wald
machen alle Häslein Halt,
denn nach solcher Wanderschaft
gibt ein Schlückchen neue Kraft.
Brötchen werden ausgepackt
und die Eier aufgeknackt.
Ach – die kleine Suse schreit,
denn der Kaffee floss aufs Kleid!

Himbeer
Limonade

Nach dem Trinken, nach dem Essen
darf man nicht das Spiel vergessen.
Darum bringt der Lehrersmann
einen alten Tontopf an
und den Knüppel, lang und dick.
Gretel schwingt ihn mit Geschick,
und dann schlägt sie – eins, zwei, drei –
wupp – am alten Topf – vorbei!

Aus dem Stalle in der Ecke
holt der Wirt zwei große Säcke,
und in jeden Sack hinein
steigt ein kleines Häselein.

Zugebunden unterm Kinn
hüpfen sie zum Ziele hin,
und vom Lehrer gibt's dort gute
Salatblättchen für die Schnute.

Dann – nach alter Häschenweise –
stellen sie sich auf im Kreise.
Jedes Häslein muss sich bücken:
Köpfchen tief und krumm den Rücken,
und mit kurzem Lauf und Schwung
hüpfen sie im Böckchensprung.
Fällt mal einer, tut's nicht viel:
Purzeln – das gehört zum Spiel!

Doch nun sagt der Lehrer: „Schluss!“,
weil man wieder heimwärts muss.
Lieblich leuchten die Laternchen
und am Himmel goldne Sternchen.

Der Herr Lehrer geht voran,
der den Fuchs vertreiben kann.
Hoppelmann hinkt hinterher:
eine Blase schmerzt ihn sehr.

Bei dem schönsten Mondenschein
plumpsen sie ins Bett hinein.
Vater schließt die Kammertür,
und dann schlafen alle vier.
Ja, im Traume noch einmal
wandern sie durch Berg und Tal.
Niemals kriegt man doch genug
von solch schönem Schulausflug!

Ein Tag in der Häschenschule

Verse und Bilder von Anne und Rudolf Mühlhaus

Tirili, Kiewitt, Kiewiet,
Buchfink singt sein Morgenlied.
Bim, bam, bom – es schlägt schon 7,
schnell die Augen wachgerieben!
Husch, nun aus den warmen Kissen,
weil wir in die Schule müssen!

7
R. MÜHLHAUS 46

8 Uhr hat es kaum geschlagen,
Kaffee ist schon aufgetragen.
In die frisch gewaschnen Pfötchen
nimmt er dick belegte Brötchen.
Vater greift zum Paletot,
denn er muss in das Büro.

Schlägt die alte Turmuhr 9,
muss Fritz in der Schule sein.
Heut' ist Rechnen. Sie addieren,
ziehen ab und dividieren.
Wenn sie Ostereier zählen,
dürfen keine Eier fehlen.

1 + 1 = 2
2 − 1 = 1
2 +
R. MÜHLHAUS 46

10 Uhr. In der zweiten Stunde
sprechen sie von Heimatkunde,
von den Bergen, von den Wäldern,
von den Wiesen und den Feldern.
Auf den Tafeln steht geschrieben
„Kinder, lernt die Heimat lieben!“

R. MÜHLHAUS

Sie durchstreifen Busch und Hecken,
spielen Fangen und Verstecken,
überspringen Bach und Graben,
wie es sich gehört für Knaben,
folgen mancher Igelspur.
Längst schon schlug's vom Turm 11 Uhr.

R MÜHLHAUS. 46

12 Uhr. Kurz vor Ladenschluss
Fritz den Kuchen holen muss.
Bäckermeister Wackelpfote
hat die feinsten Weizenbrote,
Hörnchen, Torten, Kringel, Wecken,
süße Rahmbonbons zum Schlecken.

H. Wackelpfote.
R. MÜHLHAUS

Gern sitzt man in froher Runde
um die 1 Uhr-Mittagsstunde.
„Liebes Fritzchen“, Mutter spricht,
„heute gibt’s dein Leibgericht:
junge Erbsen, grüner Kohl!“
Ja, das mögen alle wohl.

R. MÜHLHAUS 86

Punkt 2 Uhr. Mit Kameraden
strolcht zum Waldteich er zum Baden.
Wasserschlachten, Plantschen, Spritzen,
Schwimmen, in der Sonne sitzen.
Mittagsstille weit und breit,
holde Sommerseligkeit!

B DEN
V RBOTEN
R. MÜHLHAUS 46

Über seiner Tafel sitzt
Fritz um 3 und denkt und schwitzt,
und das Eichhorn sagt mit Lachen:
„Er muss Schularbeiten machen!“
Und er grübelt hin und her.
Manchmal ist das Leben schwer!

4 Uhr trinken sie zu dreien
Kaffee draußen in dem Freien.
In dem Schatten hoher Buchen
duftet frischer Streuselkuchen.
Voll Verlangen ist sein Blick,
Mutter gibt ihm noch ein Stück.

R. MÜHLHAUS

Auf der Wiese treffen viele
Jungen sich zum Fußballspiele.
Hei, wie fliegen Bein und Ohr!
Hasenfritz schießt manches Tor.
Ja, da tummeln sie sich gerne.
5 Uhr tönt es aus der Ferne.

R. MÜHLHAUS

In der 6. Abendstunde
kehrt er heim vom Wiesengrunde.
Aus der Quelle bei der Tanne
holt er Wasser mit der Kanne,
gießt und netzt er das Gesäte,
Blumen und Gemüsebeete.

R. MÜHLHAUS

Bim, bam, bom – zum Abendessen
ruft die Glocke unterdessen.
Knödel gibt's mit Krautsalat,
wie ihn Vater gerne hat.
Still zur Ruh' geht die Natur,
Feierabend! 7 Uhr.

Nach des Tages Last und Schwüle
tut so wohl die Abendkühle.
Vater liest das Tageblatt,
weil er seine Ruhe hat.
„Fritz, zu Bett, es ist schon 8!“
Mutter wünscht ihm „Gute Nacht!“

R. MÜHLHAUS

Nach dem Beten schläft er ein,
Bam – bom, eben schlug es 9.
Ruhig rauschen Busch und Baum,
wiegen leise ihn im Traum.
Selig schläft das Hasenkind,
bis ein neuer Tag beginnt.

R. MÜHLHAUS 46